D1108445

LE PETIT CHAPERON ROUGE

est un conte de Charles Perrault,
célèbre dans le monde entier.

Dans cet album, les personnages de Walt Disney
en sont les interprètes.

C'est ainsi que vous reconnaîtrez :

Minnie, dans le rôle du Petit Chaperon Rouge.
Clarabelle, dans le rôle de la maman.
Grand Loup, dans le rôle du loup.
Grand-mère Donald, dans le rôle de la grand-mère.
Mickey, dans le rôle du chasseur.

Mise en images : Atelier Philippe Harchy.
Texte : adaptation de Marie Tenaille.
Imprimé aux États-Unis. Dépôt légal : janvier 1996
ISBN 2-921200-42-2 (volume 2)
ISBN 2-921200-40-6 (ensemble)

Walt Disney

Les contes de l'Oncle Picsou

LE PETIT CHAPERON ROUGE

PUBLICOR

— Affreux neveux ! Qui vous a permis de fouiller dans mon grenier ? crie l'oncle Picsou, assis au coin du feu.

— Nous mettons de l'ordre ! répondent Riri, Fifi et Loulou.

— Permission de ranger... Interdiction de jeter ! gronde l'oncle Picsou, qui garde toujours tout.

Mais bientôt Riri, Fifi et Loulou claironnent :

— On a trouvé un trésor dans la grande malle !

— Un trésor ? hurle l'oncle Picsou. Montrez-le moi tout de suite !

— C'est un chapeau..., un drôle de vieux chapeau... A qui appartenait-il ? demandent les trois neveux.

— A moi, autrefois. Mais, quand j'ai su que le méchant loup portait le même, le jour où il a voulu manger le Petit Chaperon Rouge, j'ai caché le mien dans la malle au fond du grenier !

— Le loup a voulu manger le Petit Chaperon Rouge ? s'écrient Riri, Fifi et Loulou, épouvantés.

— Vous ne savez donc rien, ignorants petits neveux !

— Oh ! raconte-nous ! Raconte-nous, oncle Picsou !

— Asseyez-vous sagement autour de moi, ordonne Picsou. Silence ! Je commence...

Il était une fois une gentille petite fille. On l'appelait le Petit Chaperon Rouge à cause du capuchon de laine rouge que lui avait fait sa grand-mère. Il lui allait si bien qu'elle le mettait tous les matins !

La petite fille habitait avec sa maman une maisonnette à la lisière de la forêt. Un jour, sa maman lui dit :

— Grand-mère est malade, va lui porter ce pot de beurre et cette galette. Mais, surtout, ne t'arrête pas en chemin !

— Non, maman ! répondit le Petit Chaperon Rouge, ravie d'aller voir sa grand-mère.

La petite fille prit le panier que sa maman avait préparé et entra
dans la forêt en sautillant gaiement.
C'était le matin, les oiseaux chantaient, il faisait beau...
— Bonjour, Chaperon Rouge ! disaient les petits animaux des bois
qui sortaient de leur logis, contents de la voir passer.

La petite fille devait traverser toute la forêt pour arriver chez sa grand-mère avant la nuit.

Elle n'avait pas peur et s'arrêta même pour cueillir une fleur.

La forêt était si belle qu'elle oublia les recommandations que sa maman lui avait faites.

« J'ai bien le temps de cueillir des fleurs pour
ma grand-mère, se dit-elle en posant son panier.
Cela lui fera plaisir, elle guérira plus vite !
Je vais lui apporter un beau bouquet de jonquilles. »
— Sauve-toi ! chuchotaient les petits habitants des
bois. Le méchant loup est là, derrière toi...
Mais la petite fille ne les entendait
pas. Elle choisissait les plus belles fleurs
pour sa grand-mère, et le loup approchait, approchait à pas de loup...

— Bonjour, Petit Chaperon
Rouge, lui dit-il. Où vas-tu donc
de si bon matin, avec ton panier plein ?
— Chez ma grand-mère qui est malade, répondit
la petite fille, qui avait bien envie de se sauver. Mais
maman m'a dit d'aller tout droit chez elle, sans m'arrê-
ter ! Je ne peux pas te parler...
— Elle habite loin ? demanda le loup, prenant un air innocent
pour rassurer le Petit Chaperon Rouge.
— De l'autre côté de la forêt, près du moulin, répondit la
petite fille, toute tremblante.

—J'aime bien ta grand-mère, dit le loup, je vais y aller aussi !
Tiens, j'ai une idée : tu vas prendre ce chemin, moi je prendrai
l'autre... Nous verrons qui de nous deux arrivera le premier !
Et le loup disparut très vite.
Ouf ! Il était parti.
La petite fille s'était débarrassée de lui !
Elle en profita pour lambiner encore un peu.
Puis elle se remit en route.

Mais, pendant que le Petit Chaperon Rouge avançait sur le sentier sans se presser, le méchant loup, lui, filait en vitesse à travers bois.

Il connaissait bien la forêt et prit un raccourci, beaucoup plus rapide que le chemin suivi par la petite fille...

Dans sa méchante tête, sous son haut chapeau, le loup préparait un mauvais tour et s'en régalait d'avance !

Un peu essoufflé, il arriva bientôt à la maisonnette de la grand-mère. Il frappa à la porte, toc, toc !

— C'est votre Petit Chaperon Rouge, dit-il, qui vous apporte une galette et un pot de beurre !

Il parlait d'une gentille petite voix, tout à fait semblable à celle du Chaperon Rouge.

— Tire la chevillette et la bobinette cherra ! répondit la grand-mère du fond de son lit.

La porte s'ouvrit...
Le méchant loup ENTRA !
La grand-mère s'attendait à voir son Petit Chaperon Rouge...
Elle eut une peur épouvantable en apercevant le loup.

D'un bond, elle sauta hors de son lit et cria :
— Va-t'en, méchant loup ! Tu n'as pas le droit d'entrer !
Mais le loup, l'air féroce, alla tout droit vers l'armoire de la
grand-mère.

—Je ne vais pas te dévorer, grand-mère ! lui dit-il.
Mais je vais te ligoter et te bâillonner...
Et dans l'armoire je vais t'enfermer...
Tu vas me donner une chemise, un bonnet,
et quand le Petit Chaperon Rouge frappera à la porte,
c'est moi, le loup, qui lui répondrai.
C'est moi qui ferai la mère-grand, tu verras comment !

Et le méchant loup fit comme il avait dit.

Il referma l'armoire, avec la pauvre grand-mère dedans...
retira son chapeau, mit une chemise de nuit et un bonnet et,
en attendant l'arrivée du Petit Chaperon Rouge, il se mit à
sauter et à danser en chantant :

Tra la la la ! Tra la lalère !
Je n'ai pas encore mangé la grand-mère...
Mais je vais bientôt croquer la petite fille toute entière !

Et, vite, il prit la place de la malheureuse grand-mère dans le lit.

Toc, toc ! fit la petite fille à la porte de la maisonnette.

— C'est votre Petit Chaperon Rouge, qui vous apporte une galette et un petit pot de beurre ! cria-t-elle.

— Tire la chevillette et la bobinette cherra ! répondit le loup en changeant sa vilaine voix. Pose ton panier et viens vite embrasser ta grand-mère qui t'aime tant !

Le Petit Chaperon Rouge tira la chevillette et entra...

Mais, en approchant du lit, il s'écria, tout étonné :

— Oh ! grand-mère, comme vous avez de grandes oreilles...

— C'est pour mieux t'entendre, mon enfant !

— Oh ! grand-mère, comme vous avez de grands bras...

— C'est pour mieux t'embrasser, mon enfant !

— Oh ! grand-mère, comme vous avez de grandes dents...

— C'est pour mieux te MANGER, mon enfant ! hurla le loup en sautant du lit pour attraper la petite fille et la dévorer.

Mais le Petit Chaperon Rouge
fit un bond jusqu'à la fenêtre...
Il l'ouvrit et se mit à crier à tue-tête :
— Au secours, au secours ! Le loup va me manger !
Heureusement, un chasseur, son fusil sur l'épaule, passait devant
la maisonnette. Il entendit le Petit Chaperon Rouge.

Et, en un instant, il fut à la fenêtre.
Pour sauver la petite fille, il arma son fusil et tira, pan !
Le loup, d'une énorme enjambée, voulut s'échapper...
Mais une volée de plombs lui troua le pantalon !

Le méchant loup disparut dans les bois...
Plus jamais il n'approcha de la maison de la grand-mère, plus
jamais le Petit Chaperon Rouge ne s'arrêta dans les bois pour
parler à qui que ce soit.

Vite ! le Petit Chaperon Rouge et le chasseur sortirent la grand-mère de la grande armoire.

Ils étaient tous si contents d'avoir chassé le méchant loup que la grand-mère s'en trouva guérie !

Ils s'installèrent dans l'herbe devant la maisonnette pour commenter l'événement...

La grand-mère disait quelle peur elle avait eue.

La petite fille, remise de ses émotions, regardait avec admiration l'intrépide chasseur, son sauveur.

Quant au chasseur, il n'était pas peu fier de son coup de fusil...

Il racontait son exploit à la grand-mère, qui, du fond de l'armoire, n'avait rien pu voir...

Le Petit Chaperon Rouge et la grand-mère ne se lassaient pas de l'écouter, car, sans lui, que serait-il arrivé ?